とほかみえみため

~神につながる究極のことだま~

とほかみえみため

〜神につながる究極のことだま〜

大野靖志

目次

とほかみえみため～神につながる究極のことだま～

はじめに

この本には、皆さんの人生を根底から変えてしまうような不思議なことが書かれています。しかも、ある言葉を唱えるだけでそうなってしまうというお話です。

世の中には、これを唱えるといいことが起きる、という言葉がたくさんあります。古くは「南無阿弥陀仏」から、近年ですと「ありがとう」や「ツイてる」まで、皆さんも一度は聞いたことのあるような言葉が、様々あることがわかります。

他にもマントラや呪文、アファメーションなど、世界各地に言葉の力を利用した数々の秘法や開運法と呼ばれるものがあります。

実際、言葉の力で奇跡が起きたというケースは、枚挙に暇がありません。皆さんもそうした言葉を一度は試されたことがあるのではないでしょうか。

けれども、今回皆さんにご紹介しようとする言葉は、従来のそうした言葉とは一線を画するものです。これまで書籍でもネットの世界でも、それに関しての真実が語られたことは一度もありません。

なぜなら、その秘密は天皇家に関わるごく一部の人物、もしくは日本の秘史に精通した人間にしか知りえなかったものだからです。

実はそれは、天皇自らが唱える言葉でもありました。

いわば、この世の最高峰ともいえる言葉がそれだといえます。その言葉が表舞台に出てこないとはいえ、そのままの形で現代に残っているのです。

当然のことながら、本書でご紹介する言葉の威力は、従来の「ありがとう」や呪文の比ではありません。そもそものようなレベルであれば、わざわざ天皇家に残されることもなかったでしょう。

では、それが難しい言葉かというと、全くそうではないのです。その言葉の数はたったの八文字であり、小学生でも簡単に覚えられるものです。それでいて、その言葉の効果は絶大です。その理由は本書を読めばわかるようになっています。

すでにこの言葉をご存知の方も、その一音一音に秘められた真の意味を知ることで、全く新たな次元との接点が得られることでしょう。

今回は一般社団法人白川学館の代表理事であり、白川神道継承者である七沢賢治先生ご承諾の下、本書を上梓できる運びとなりました。

七沢先生の日頃のご指導に感謝申し上げると同時に、この珠玉の八文字がすべての日本人、ひいては世界人類の希望の光となることを願ってやみません。

1
人生は自らの言葉で決まる

1 言葉の力を知らない私たち

皆さんは普段、言葉というものをどれだけ意識しているでしょうか。たとえば、人に話す時、独り言を言う時、思考する時、メールを送る時、など。言葉が活躍する場面は、日常生活のほぼすべてといってもいいかもしれません。

にもかかわらず、こうした言葉の本質について議論される場面は、ほとんどありません。「日常生活も人生も言葉でできている」といってもいいぐらいなのに、です。

その理由は、言葉があまりにも当たり前な存在である、ということにあろうかと思います。人に対してであれ、心の中であれ、言葉を出すのにお金はかかりませんし、力もいりません。また、そのためのエネルギーを補充する必要もありません。

つまり、言葉は誰でも無償で手軽に利用できてしまう便利なツールというわけです。いつでも使えるツールであるがために、それに対して敬意が伴うことはありません。

また、他人も自分も同じツールを持っているという点において、自分だけが威張れるものでもありません。しかも、子供も大人も関係なく使えてしまうという、あまりにも当たり前のツールです。

けれども、もし言葉というものがなかったら、とんでもないことになる、ということだけは誰にでもわかります。ちょうど空気のようなもので、なくなって初めてありがたみのわかる存在、といえばいいでしょうか。

こうして振り返ってみますと、私たちが言葉というものの価値を忘れてから、悠久の時間が経過したように思います。子供たちの手本となる大人も言葉の大切さを説かなくなってきました。今や、親たちが子供に「勉強しなさい」と言うことはあっても、「言葉を大切にしなさい」と諭すことはないのです。

そこには戦後の急速な物質主義化がありました。

第二次世界大戦後、「ことだま」という言葉が放送禁止用語となったことも、理由の一つかもしれません。最近になり、ようやく規制もゆるめられ、NHKの連続ドラマにも「ことだま」というセリフが出てくるようになりました。が、ドラマの時代設定が戦前ということもあり、現代に生きる私たちには、縁のない話と片付けられることも多いように感じられます。

ところが、日本の歴史を過去に遡ってみますと、「ことだま」は日本にとって極めて馴染み深いものであったことがわかります。たとえば、奈良時代に柿本人麻呂は、『万葉集』にこんな歌を残しています。

しきしまの大和の国は　言霊の助くる国ぞ　まさきくありこそ

また、山上憶良も同じ『万葉集』で次のように語っています。

神代より言ひ伝て来らく　そらみつ大和の国は皇神の厳しき国
言霊のさきはふ国と語り継ぎ言ひ継がひけり

今、私たちは「令和」という元号を持つ時代に生きていますが、この「令」と「和」という言葉も『万葉集』に由来します。かつて「ことだま」という言葉は「事霊」とも表記されました。つまり、「言う」という行為と「事が起こる」という現象は同じだということです。

皆さんもどこかで一度は、「言葉というものは実現するものである」と聞いたことがあるかもしれません。なぜなら日本の言葉には言霊というものが宿っているからだ、と。

たとえば、これは単純なお話ですが、「馬鹿野郎」と言われて気分のいい人はいません。逆に「ありがとう」と言われて気分を悪くする人もいないでしょう。また、社長が「これからどんどん伸びるぞ」と言えば、社員もついていこうと思いますし、「もうだめだ」と言えば、社員はその会社から逃げたくなります。

つまり、「ことだま」という表現をせずとも、言葉にはすでに周りを変える直接的な力があるということです。これは別に特殊なことではなく、極めて当たり前のことといえます。ではそうした言葉の影響力はどこまで届くのでしょうか。

平安時代の歌人であった紀貫之は『古今和歌集仮名序』で、言葉というものは、力を入れなくとも天地を動かすものだと述べています。

力をも入れずして天地を動かし、目に見えぬ鬼神をもあはれと思はせ、男女のなかをもやはらげ、猛き武士の心をも慰むるは、歌なり

「ブラジルの1匹の蝶の羽ばたきがテキサスで竜巻を引き起こす」というバタフライ効果をご存知でしょうか。言葉により人間の行動が変わることを考えますと、その波及効果はまったく蝶の比ではないことがわかります。

けれども、今ここでお話しした内容は、言葉の持つ当たり前な力を表現しただけであって、言葉が「ことだま」として持つ力は、そんな表面的なレベルに止まりません。また、宗教や民間伝承の世界に限られたものでもないのです。

信仰の力というものは確かに存在しますが、「ことだま」とは実のところ科学そ

のものであり、再現性のあるものであることを、皆さんは本書を通じて知ることになるでしょう。

2 言葉で未来を変えることができる

言葉の力がどこから生まれるのかを分析する人は、あまりいないかもしれません。なぜなら、言葉もその力も、人間として生まれれば自然に身につくものだからです。言葉が通じて普通に話ができれば、それ以上何を評価すればいいのか、通常は思いつきもしないことでしょう。

一方、言葉なしには、どんな行動も中途半端になり、明確な成果が得られないことは、誰もが知る事実です。これは自分が自分に命じる場合も、人に命じる場合も同じことです。言葉はあらゆる行動のきっかけになり、また目標となるものであり、言葉が曖昧であったり、不明確であったりすると、当然その成果も言葉に従ったものとなります。

読者の皆さんもかつて、「○○大学合格」とか「売上○○万円達成」とかを紙に書いて、壁に貼ったりしたことがあるでしょう。実際、私の周りにもそうした手法により大成功を収めた人もいます。つまり、このことから、言葉とは未来を先取りするものである、ということがわかります。

では、未来を先取りするとはどういうことでしょうか。

それは、言葉が時間を超えて作用することを意味します。

今ここで発声できる言葉は、いわゆる音として認識できるものですが、実際問題として、その音が未来にまで響いているわけではありません。

すると、何が未来に届いているのでしょうか。

実はそれが、「ことだま」（言霊）という時空を超えた存在なのです。であるがゆえに、「言」の「葉」とは表現せず、「言」の後に「霊」という言葉を入れているわけです。先ほどの「〇〇大学合格」ですが、そこにあるのは、紙に書かれた文字だけではありません。その言葉の裏には、それを書いた本人の意志が封じ込められています。

ここで、意志という言葉が出ました。

たとえば、「必ず〇〇するぞ」のように、この意志というものも言葉でできていますが、普段会話で使っている言葉とは、何かが違う気がします。では、それが何かというと、それこそが時空を超えた「ことだま」という存在なのです。

通常の話し言葉には、意志を伴ったものと、そうでないものがあることは、皆さんよくおわかりかと思います。意志の入った言葉は、感情の入った言葉よりもずっとパワフルです。ですから、「ことだま」とは意志を伴った言語であると考えていただいて差し支えありません。

もし、私たちが意志を持っていないとすると、私たちは外の世界にただ翻弄されるだけの存在になってしまいます。あるいは動物のように、生存本能に基づいた生理的欲求を追求するだけの生き物になってしまうでしょう。動物のことを悪くいうわけではありませんが、人間と動物は違うのです。

私たちが関わっている白川神道、また言霊学では、言葉で意志を発動できる存在を人間と呼び、その「ことだま」の力で神とつながることができると教えています。

3 なぜ言葉には力があるのか

言葉が発声される背景には、その言葉を発声しようという意志が存在します。つまり、いきなり口から言葉が出てくるわけではなく、まずある種の意図があり、発声の意志があり、それが音になって出てくるというわけです。この辺は当たり前すぎて、普通は素通りされてしまうプロセスです。

けれども、そうした当たり前の中にこそ真理があることを見逃してはなりません。耳に聞こえる言葉には、音として具現化する前の多様なプロセスが潜んでいます。

とりわけここでお伝えしたいことは、言葉には音になる直前の姿があるということです。

では、音になる直前の言葉の姿とは何でしょうか。

一般的には、そうした目に見えず音にも聞こえない存在を「霊」と呼びます。が、言霊学の世界では、その「音になる直前の言葉の姿」を「ことだま」と呼ぶのです。そのような意味において、表現の仕方は違えど、言葉も「ことだま」も結局は、同じ五十音を示しているという見方ができるのです。

ですから、言葉に気をつけるとは、言葉の前に存在する「ことだま」に気をつけることを意味します。よって、「ことだま」に気をつけると、言葉の使い方も、言葉がもたらす現象も、後悔のないものになるということになります。

このあたりのことは、ふだん馴染みのないことだけに、少し紛らわしく感じられるかもしれませんが、ここでは気にせずに読み進めてください。

さて、私たちが普段話している日本語には、清音、濁音、半濁音、拗音などいくつかの区分けがありますが、その元になるのはやはり五十音です。五十音といえば音図ですが、小学校の時に習ったその図を思い浮かべてみてください。

右側の縦に「あいうえお」があり、音図の上段に「あかさたなはまやらわ」と並んでいます。普通の認識では、ただ言葉というものを五つの母音に合わせて並べただけという印象かもしれません。

しかし、実はその一音一音にとてつもない秘密があると知ったらどうでしょうか。古代の人々が言葉に物事を現実化させる力があると考えていたのは、そこに何らかの裏付けがあったからに違いありません。その裏付けとは一体何だったのでしょうか。

明治時代、昭憲皇太后の家系である一条家に、和歌三十一文字の心得として「言の葉の誠の道」という教えがありました。

その教えはのちに、山腰明将氏により言霊学として確立されます。

その言霊学とは、「言葉とは何か」を教えるものでした。

そこに先ほどの答えが出ているのです。

つまり、「言葉は神である」ということです。

より具体的には「日本語の一音一音は、古事記に登場する神である」ということになります。とすれば、言葉は神だから、言葉が実現するのは当たり前ということになります。おそらく古代の人々は、頭で考えるというより、体の感覚としてそのことを感じ、また実践していたのでしょう。

もし、この教えが現代の日本に残っていたら、私たちは物やお金よりも、言葉を大事にし、人や自然を傷つけるのをやめ、今よりもっと豊かな社会を築いていたかもしれません。そこで、先ほどの「言葉は神である」という教えを検証してみますと、現代の科学に驚くほど合致していることがわかりました。

検証の仕方はこうです。

「日本語の一音一音をそれぞれ周波数と見た場合、地球や宇宙のそれとどんな関わりがあるのか」それを見つけ出そうということです。

発見までの過程については長くなるので割愛しますが、そこで出た結論は目を見張るものでした。まさに「言葉は神である」を裏付けるような数値が出たのです。

日本語の五十音図には、縦に「あいうえお」という母音があり、横に「かさたなはまやらわ」という音があります。それを「ＫＳＴＮＨＭＹＲＷ」というローマ字にすると、すべての音は、縦と横の組み合わせだということがわかります。
たとえば、「た」という言葉は、「T」と「A」の組み合わせだと理解できます。
つまり、「T」＋「A」＝「TA」＝「た」というように。

この時に「T」をお父さん、「A」をお母さんとすると、「TA」はその子供ということになります。これを少し専門的に表現すると、「T」は父韻、「A」は母音、そして子供の「TA」は子音となります。

そこで、「AIUEO（あいうえお）」と「KSTNHMYRW」のそれぞれの周波数を分析してみると、意外なことが判明しました。
母音「AIUEO」は地球の五行「木火土金水」の周波数、そして父韻「KSTNHMYRW」は、太陽系の各惑星の周波数と合致したのです。

古代の人々は、かつて地球の五行を国津神と見立て、宇宙に広がる星々を天津神として崇めてきました。一方、現代人の多くは、それを非科学的な信仰ととらえ、それ以上見向きもしません。けれども、古代人が言葉の響きに感じていたものは、実際に彼らが神と名付けた宇宙そのものの振動だったのです。

つまり、言葉は神であったということです。

その教えこそ、言霊学、そして白川伯王家が歴代の天皇家に伝えてきた十種神宝御法の中心にあるものでした。

『新約聖書』にもこう書かれています。

「はじめに言葉ありき。言葉は神と共にあり、言葉は神であった」と。

インドの聖典『ヴェーダ』にも「言葉は最高のブラフマンであった」という記述があります。

4 言葉こそ人生における最高のツール

これまで、言葉には私たちの想像を超えた力があり、その秘密は天皇家にも世界の宗教にも残されてきた、というお話をしてきました。にもかかわらず、私たちは言葉そのものが持つ力よりも、言葉で語られた対象の方に目を向けがちです。

つまり、本来は言葉にこそ一番力があるにもかかわらず、私たちの頭は、言葉によって導かれたイメージや印象を優先させてしまうということです。

ところが、どんなイメージをするにしても、その元には必ず言葉があります。

たとえば、「バナナ」という言葉がなければ、バナナをイメージすることはでき

ません。

このように、すべては言葉から始まっているにもかかわらず、言葉そのものではなく、言葉がもたらすイメージによって私たちは生きているというわけです。

ですから、元にあった言葉が忘れ去られることによって、イメージが一人歩きしてしまい、最後は収拾がつかない状態になるのです。

たとえば、ある言葉から妄想が起きるとすると、その妄想は次なる妄想を呼び込みます。それをイメージで解決しようとすると、結局何も解決できないまま、気分の悪さだけが残るという図式です。

ところが、いかなる妄想やイメージであっても、すべてが言葉から始まっているとわかれば、言葉でそれを消滅させることができるのです。

あらゆるイメージの元には、それを引き起こした言葉があるはずです。妄想を起こす背景には、その引き金となる言葉があります。

一例として、今ある病気にかかっているとします。

その時に「病気が治る」と言葉で考えるのも、「治らない」と考えるのもその人の自由です。けれども、そのどちらを採用するのかにより、その後の展開は大きく変わってきます。「治る」と宣言すれば、それに関連したイメージが人を元気にしていきますし、「治らない」という言葉を使えば、自動的によからぬ妄想が、その人から力を奪っていきます。

ですから、妄想やイメージを元から断つには、イメージをイメージで変えようとするのではなく、言葉の力を利用するのが最も効果的であり、かつ本来的であるということができます。聖書にはキリストが言葉で病気を治したことが書かれていますが、そこにあったのはキリストの「言葉」であり、それ以外の何か不思議な力ではありません。

さて、言葉の力はこうした局所的な場面のみならず、人生全般に影響を与えることがわかります。とりわけ「人生をいかに生きるか」といったテーマに関しては、言葉なしに全容を構築することはできません。また、自分の言葉を持っている人といない人とでは、人生の広がりも質もまるで変わってきます。

言葉とは、いうなれば、人生における最高のツールであり、人生をよくするのも悪くするものもすべて言葉次第、ということがおわかりいただけるのではないでしょうか。

5 言葉は宗教ではない

言葉の大切さはこれまで述べてきた通りですが、勘違いしていただきたくないことは、それが宗教ではないということです。

宗教すら生み出すのが言葉であり、宗教そのものよりさらに根元にあるものです。

これまでの宗教が人類に何をもたらしてきたのかは、皆さんもよくご存知の通りです。もし、宗教に対する人間の態度が正しいものであれば、現在の人類の悲惨な状況も、これまでとは変わったものになっていたことでしょう。あらゆる紛争や戦争の元にあったのが宗教であり、それを利用しようとする為政者たちでした。宗教の名の下、多くの人々が弾圧されてきました。

一方、宗教の世界では、神や教祖の言葉に従うのがルールであり、その通りにやらないと天国に行けない、もしくは信者失格、人間失格とされます。それによって、人々は自由に考え、自由に言葉を発することを制限されます。

つまり、言葉という最強のツールを奪われてしまうのです。

その最強であり、最高のツールである言葉を自由に使えないということは、人間が人間であることの尊厳を失うことを意味します。言い方を変えれば、主体性を失い、「誰かが言ったこと」の奴隷になるわけです。

こうした問題は何も宗教だけでなく、言葉を伴うあらゆる教えや観念に存するものです。それが親の言葉の場合もあれば、上司や友人の一言というケースもあるでしょう。
いずれにしましても、人間を奴隷にする最たるものが宗教であり、言葉そのものはそれとは全く別世界にあることが、おわかりいただけるかと思います。

言葉は言葉であり、言葉そのものに罪はないのです。それどころか、前項で述べたように、言葉は神ですらあるわけです。それを自由に使えるところに私たち人間の神性があり、人としてこの世に生を受けたことの意味があるといえるのです。

言葉は宗教ではないということ、そして、あらゆる宗教は言葉でできているということを、しっかりご理解いただきたいと思います。
言葉自体、あまりにも身近な存在であるために、ほとんどの人が無意識のうちに他人の言葉に支配されるようになります。ですから、今という時代に気をつけるべきは、宗教よりもむしろ、テレビやネットの情報にあるといった方がいいかもしれません。

結局は、どれもこれもが言葉によって成立するという意味において、すべて同じ土俵にあるといえるのです。

少なくとも、これまで意識を向けなかった言葉の世界に関心を持つことで、皆さんの人生の広がりもこれから変わってくるのではないでしょうか。

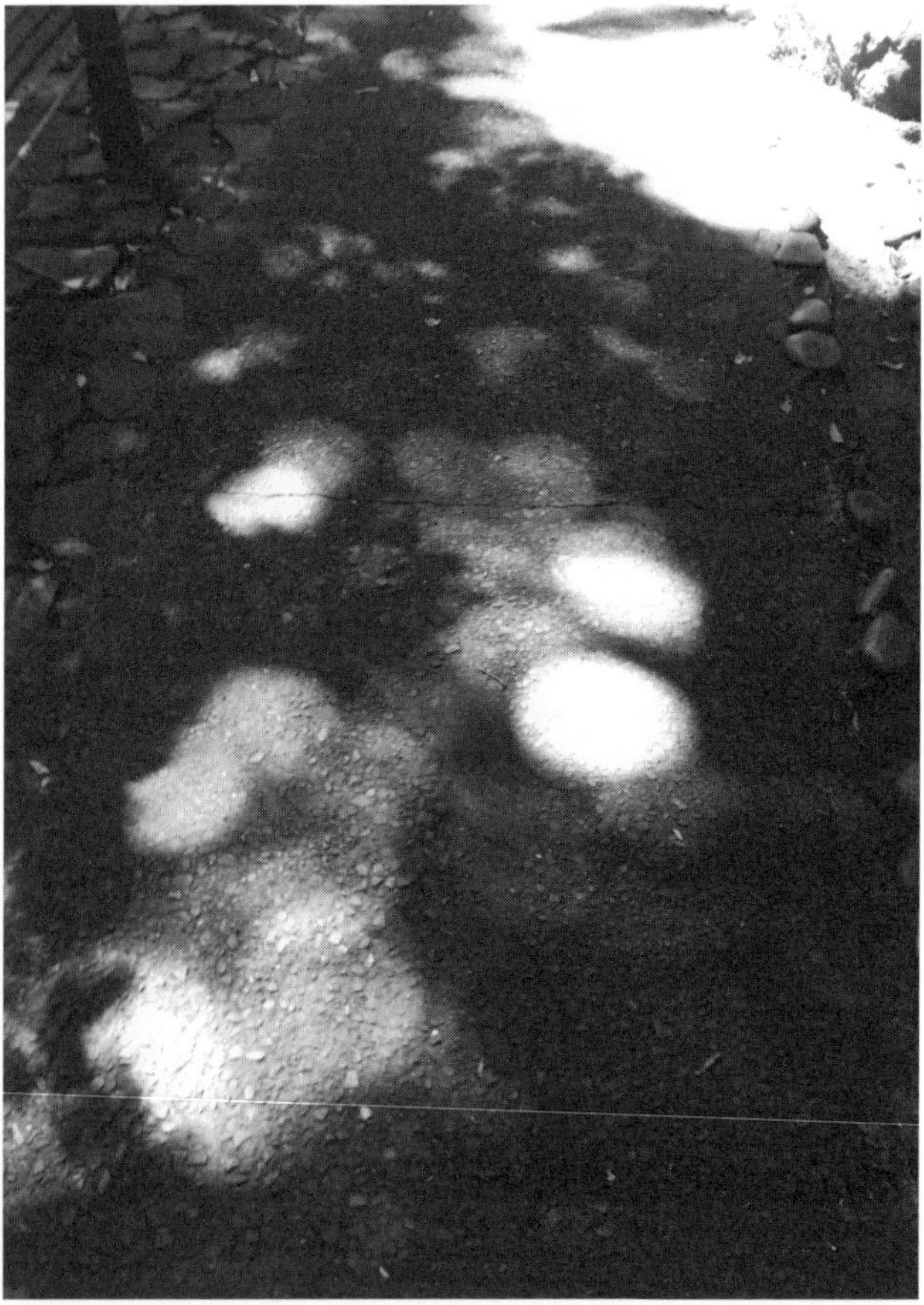

2
わたしたちが知らない先祖の力

1 わたしとは誰か

皆さんはこれまで、「自分とは誰なのか」、真剣に考えたことがあるでしょうか。わたしという存在は一体何なのか、どこからどこまでがわたしなのか、じっくり考えたことがあるでしょうか。これは、普通に生活しているとあまり馴染みのないテーマかもしれません。けれども、人生において必ずどこかでぶつかるテーマともいえます。

ただ普通に考えますと、わたしとは名前が何であって、出身がどこで、生年月日がどうのというお話になります。また、そこに身長と体重がどれくらいで、どんな顔をしている、といった外見的な要素が加わったりします。
ですから、「わたしとは誰か」において出てくる答えは、たいていの場合、外見とその内側、また自分が知る限りの自分像、となるケースがほとんどかと思われます。

一方、そのように制限された自分を「わたし」と捉えることで、私たち人間は、常に限界を感じながら生きていることも事実です。

あとは運命学や占いなどで、少しでも活路を見出そうという感じではないでしょうか。もしくはすばらしいパートナーを見つけて、足りない「わたし」を補ってもらおうと考えたりします。そのため、世の中のほとんどの教えやテクニックは、限界ある「わたし」のためのものであって、「わたし」本来の姿を明らかにするものではないといえます。

さて、話を戻しますと、この「わたしとは誰か」という問いは、これまで世の多くの哲学者たちを悩ませてきました。その結果、彼らが出した答えが「人間とは○○である」というようなものです。

どれもこれも、一面は合っていますが、全体像となると何かもの足りないものばかりです。ソクラテスも「汝自身を知れ」という言葉を残したのみで、その答えについては触れていません。

しかし、ここに誰も疑いようのない事実があります。

それは、「わたしとは先祖の集合体である」ということです。

言い方を変えれば、「わたしは先祖からできている」とも表現できます。

「わたしとは誰か」の答えで、これ以上のものはあるでしょうか。

2 わたしは先祖からできている

かつての日本人は、もっとご先祖を大事にしていたように思います。
もちろんそれは、両親を大切にすることだけでなく、子供を大切にすることにもつながります。けれども、いつの間にか大家族というスタイルが崩壊し、核家族化が進み、やがて自分さえよければいいという風潮が強くなってきました。

以前、スタンフォード大学の学生に日本の文化について講義させていただいたことがあります。その時に学生たちと接触してみて、今の日本と同じように、彼らには先祖を大事にするという慣習があまりないことがわかりました。

おそらく日本の場合、欧米の文化が入ってきたことで、先祖を大事にするという日本古来の文化や考え方が消えてしまったのでしょう。もちろん、完全になくなったわけではありませんが、形だけかろうじて残っているような印象です。

前項で「わたしとは誰か」という質問を投げかけましたが、その答えは聞いてみると、たいして難しいものではなかったとわかるはずです。

つまり、「わたしは先祖からできている」ということでした。

私たちは例外なく両親から生まれますが、その両親もまた、それぞれの両親から生まれています。このことに疑いの余地はなく、いわば生命の絶対法則がそうだということになります。生命の絶対法則とはすなわち宇宙の法則でもあり、原子ですらプラスの原子核とマイナスの電子でできており、それぞれを両親と呼べなくもあ

2 わたしたちが知らない
先祖の力

りません。

そうしたなかで私たちは生まれ、また子孫を残していきます。そして、子孫たちも同様にそのまた子孫を残します。こうした絶対的な法則のなかに私たちは存在するわけですが、それを一個人にスポットを当ててみると、面白いことがわかります。

それは、一人の「わたし」の中には、驚くほどたくさんの先祖の血が流れているということです。それをＤＮＡといってもいいでしょう。

ちなみに、一人の先祖を1代遡ると両親の2名、2代遡ると6名、3代で14名、4代で計30名の先祖がいることになります。

それが10代だと２０４６人、30代遡るとその数は何と10億人を超えます。

そうした先祖を極限まで遡ってみますと、38億年前の原始生命体を飛び越えて、

137億年前の宇宙の起源にまで辿り着くことができます。

つまり、私たち一人一人のDNAには、無数の先祖とあらゆる宇宙の記憶がストックされているということになるのです。

3 先祖がもたらす驚くべき力

こうして改めて私たちの存在理由を振り返ってみますと、普通はこれだけのスケール感に圧倒されそうです。しかしながら、先ほど述べましたように、こうした先祖とのつながりに関心を持つ人はそう多くないように見えます。

なぜなら、普通に生活をしていると、先ほど述べたような、先祖という存在の大切さを知る機会が滅多にないからです。そうした情報が少ないこともさることながら、日常生活に追われ、とてもそれどころではないという状況もあるでしょう。

ですから、今これをお読みの皆さんは、とてつもないチャンスを手にしたと言っても過言ではないのです。その理由は順を追ってわかると思いますが、もし一度でも先祖神のエネルギーを体感したとしたら、その驚くべき力にひれ伏すかもしれません。


とにかく私たちは先祖の集合体なのです。

自分のものというのは存在しません。

すべてがご先祖からのいただきものです。

この手も足も、体も髪の毛も、すべて先祖の遺伝子が複合的に集まってできたものです。

よく、何かを勉強するとか、修行をするとかして、自分を高めようとする人がいますが、その自分とは誰かという観点が抜けています。自分という存在が最高のコンディションになければ、どんな学びをしても断片的にしか身につきません。

つまり、何を学ぶかとか、どう学ぶかとか、やり方ばかりに気を取られて、肝心の主体がどうかということに、ほとんどの方が無関心だということです。

「やり方」ではなく、「あり方」がすべてを決めるというのに。

皆さんもこれまで様々な学びをされてきたことでしょう。

では、それを自分一人が学ぶのと、背後にいる先祖も巻き込んで学ぶのとでは、どちらがどれだけ効果的でしょうか。もっと具体的にいうと、それは背後という間接的なものではありません。

自らの細胞に最初から含まれている力なのです。

これまで眠っていた先祖の遺伝子が目覚め、自らの細胞が活性化したらどのようなことになるでしょう。

実は世の成功者と言われる人物は、意識しているにせよ、していないにせよ、こうした力を利用して、人並み外れた成功を実現しています。

そうでなければ、一般人の何倍も働いたり、常人離れした人間的魅力を発揮することはできません。

また運を引き寄せる能力もそうだといえます。

誤解を恐れずにいえば、この先祖の力には、善人悪人を問わず人間である限り、万人に共通かつ平等に働くものだという法則があります。

したがって、たとえは極端ですが、任侠界の組長であっても、先祖供養をしっかり行えば、その道でそれなりに成功することができます。もちろん直近の先祖だけでは不十分で、さらに上の先祖につながらないといけません。

ただ、ご理解いただきたいのは、私たちが普段願ってやまない現実を創造する力は、天やどこかから降ってくるものではなく、私たちの中にご先祖を通じてあるということです。もしそれを真に理解することができれば、この瞬間にもご先祖に手を合わさずにはいられないでしょう。

なぜなら、この今も私たちの細胞の中にご先祖が存在し、私たちを生かしているからです。

先祖を意識し、先祖に感謝し、先祖とつながると、これまで眠っていたDNAが目覚めることになります。つまり、これまでオフになっていた機能がオンになると考えていただくとよいでしょう。それにより様々な能力が開花することになります。

実際、私の知り合いでかつて新聞配達をしていた青年が、ある時自ら会社を立ち上げ、その後10年で年商１００億円を超える企業に成長させたケースがあります。

当人曰く、事業のことを真剣に考えていると、かつて満州の一大実業家だった祖父とつながる気がするのだそうです。

この青年は節目のお墓参りを欠かさず、今も事業を拡張し続けています。


こうしたケースは稀かというと、実はそうでもないのです。

先ほどの仕組み、すなわち自分の中に眠っているとりわけ優秀な先祖とつながると、割合簡単にこうした成功を掴むことができるのです。


繰り返しになりますが、問題は、そうした圧倒的な事実をほとんどの人が知らないということです。理由は先に述べた通りですが、それにしても、あまりにももったいない話です。

ところが、先祖とつながることのメリットはそれだけではありません。
先祖を起点に、やがて先祖を遥かに凌ぐ力を獲得できるようになるのです。

3
わたしと神をつなぐのは先祖だけ

1 宗教から離れていくわたしたち

これまで世の中には様々な宗教や信仰形態が登場し、それぞれに神の存在が語られてきました。それにより生まれたものは、皮肉にも、宗教そのものに対する不信感だったかもしれません。

昨年、NHK放送文化研究所が、国際比較調査グループの一員として、「日本人の宗教に対する信頼度」を調査したところ、やはりという結果が出てきました。

その時の報告を簡単にまとめますと、以下のようになります。

*****

・信仰している割合は変わらないものの、信仰心は薄くなり、神仏を拝む頻度が低くなっている。

・日本人の伝統的な価値観だと捉えられてきた「お天道様が見ている」、「人知を超えた力の存在」、「自然に宿る神」といった感覚を持つ人が少なくなっている。

・宗教に「癒し」などの役割を期待している人は減っている。宗教に危険性を感じる人は、感じない人より多い。

*****

こうした傾向は欧州にも出ていますし、米国でも若者を中心に宗教離れが進んでいるといわれます。

では、なぜ宗教というものがここまで急速に力を失ってきたのでしょうか。

一つにはもちろん、戦争や紛争の背景に、いつも宗教の問題が絡んでいるということがあります。本来は人々を幸せにするはずの宗教なのに、なぜそんな逆のことを引き起こすのかと。けれども、皆が皆、そこまで考えて宗教から離れていったわけではないでしょう。そこにはもっと直接的な理由があるはずです。

では、今日の事態を引き起こした、その直接の理由とは何でしょうか。

それは、「これまで信仰してきたものに効果や体感がなかった」ということに尽きるのではないでしょうか。

これまでさんざん宗教を信じてきた、もしくは教えを実践してきた。けれども何もいいことがなかった、となれば、そこに続ける意味を見い出すことはできません。

2 神はどこにいるのか

神という存在を一言で表すことはできませんが、広く「目には見えないが、現実に影響を与える大いなる力」と捉えることは可能です。

問題は、その神と人間との距離が、あまりにも開いてしまったということにあるのではないでしょうか。

先ほどの調査結果に、「お天道様が見ている」、「人知を超えた力の存在」、「自然に宿る神」が感じられない、というものがありました。が、少なくとも古代人はそれを身近に感じていたであろうと考えられるのです。

なぜなら、こうした言葉や表現は、実際に当時を生きていた人間が残したものだからです。

神道でも八百万（やおよろず）の神という言い方をしますが、こちらも現代に生きる人間の感覚より、もっと実感的なものであったはずです。しかし、歴史というものは、人々からこうした感覚も記憶も奪ってしまうものです。また、勝者が歴史を書き換えるというように、為政者に都合の悪い教えは消される運命にあります。

そうしたなかでも最も大きな問題は、一神教の存在ではないでしょうか。
その特徴は、一なる神と人間を分けることで、人は神になれないということを明確に宣言するところにあります。したがって人間には神の教えを守ることしかできず、それに反することをすればバチが当たるということで、一神教の登場以降、人と神は疎遠な関係に置かれることになります。

日本は古来、多神教の立場を取っていましたが、明治時代に西洋化の波に乗ろうとする際、天照大神を神道の中心に据えることで、神道の一神教化を目指そうとしました。

その際に国家神道の頂点として位置づけられたのが伊勢神宮です。

天皇が正式に伊勢に参拝に行くようになったのは、大昔からではなく、明治時代に入ってからでした。

この一神教の考え方は、支配者にとって都合のいいものであり、それを利用することで民をコントロールすることが自由にできます。

日本も国家神道の名の下、国民が総動員で大きな戦争に巻き込まれていきました。

しかし、同じことを繰り返すわけにいきません。

次に大戦レベルの戦争が起これば、それはおそらく人類の破滅を意味することにな

るでしょう。したがって、私たちには本来の神を取り戻す必要があるのです。

普通はそれを、とても難しいことと考えるでしょう。

なぜなら、そのように教わってきたからです。

神は手の届かない位置にいる、と。

けれども、実は、意外なほど身近に存在していると知ったらどうでしょうか。

3 神はわたしのすぐそばに

「わたしは先祖でできている」というお話を覚えていますでしょうか。

わたしは先祖のＤＮＡでできており、わたしのものといえるものは、実は存在しないという話のことです。


先祖というと普通は両親や祖父母など、顔のわかる範囲で特定しようとします。もしくは、家の仏壇に曽祖父母の遺影があれば、そこまで含まれるでしょうか。

いずれにしても、通常はこのように、身近な限定された範囲の先祖を、自身の先祖として崇める傾向が強いように思います。人によっては、「亡くなったおばあちゃんが自分を助けてくれた」というケースもあるでしょう。

けれども、私たち一人一人の先祖は実際には膨大な数に上り、身近な先祖だけわたしという存在に関係するわけではありません。わたしの知らないずっと大昔の先祖であっても、そのＤＮＡはいつもわたしの中に存在し、わたしの一部として影響を与えて続けているのです。

すると、ここで面白いことがわかります。

つまり、私たちのＤＮＡには、生命が始まったばかりの記憶もまた残されているということです。

前章の中でこのように述べました。

＊＊＊＊＊

そうした先祖を極限まで辿ってみますと、38億年前の原始生命体を飛び越えて、137億年前の宇宙の起源にまで遡ることができます。

つまり、私たち一人一人のDNAには、無数の先祖とあらゆる宇宙の記憶がストックされているのです。

＊＊＊＊＊

このことは疑いようのない事実です。神秘でも何でもありません。いわば当たり前のお話といえます。

そこで、この動かしがたい事実について、日本の神話ではどのように表現しているかといいますと、天之御中主神からすべてが生まれたといっているわけです。それを現代的に解釈すれば、ビッグバンとも、宇宙の最初の振動とも取ることができます。

それにより宇宙が生まれ、生命が生まれたと。

この宇宙ができた瞬間から、人類がこの世に登場するまでの過程には、量子レベルから無限大の大きさを持つレベルまで、様々なエネルギーの交流がありました。

そうしたエネルギーから人類が誕生したとすると、私たちにとって最も古い先祖は、まさに原初のエネルギーそのものだったということができます。そこから宇宙が生まれ、地球が生まれ、生命が生まれ、祖先が生まれたといえるわけです。したがって、私たちのDNAには、宇宙も地球も祖先もすべて入っていることになります。

つまり、私たちの中に、神が入っているということになるのです。

これを神話的に表現すれば、宇宙の神は天之御中主神（あめのみなかぬしのかみ）、太陽の神は天照大神（あまてらすおおみかみ）、地球の神は国常立神（くにとこたちのかみ)、先祖の神は遠津御祖神(とおつみおやのかみ)となります。
ですから、神はどこか外側の遠くにいる存在ではなく、私たちのすぐ近く、それも私たちの体の中に存在するということがわかるのです。

この当たり前な事実を知らないがために、人類はこれまでとんでもない遠回りをしてきました。すべては自分の内側にあるのに、外側、外側へと探求を進めてきたのです。

にもかかわらず、人々はこの現代においても相変わらず、外の世界に神を求め続けています。

そして、人間と神をますます分離させようとしています。

4 先祖を通じて神とつながる

これまでの流れで読者の皆さんにご理解いただきたいことは、神は外側ではなく、内側に存在するという単純なお話です。このベクトルを間違えなければ、人は確実に神につながることができます。

けれども、ただベクトルを内側に向けるだけで神とつながれるわけではありません。

神という存在につながるには順序があるのです。

日本の神話も古神道も、本来はそれを教えるためのものでした。

いつしかその教えが隠され、実践されなくなり、勝手に神と人間を分けてしまったのが今日までの人類の歴史です。

ところが、その教えは今も〝ここ〟にちゃんとあるのです。そして、その教えを実践することで確実に効果が表れます。その教えとは、先ほどお話しした「神につながるための順序」を明らかにしたものです。

実は私たち人間は、直近の先祖につながることで、数多くの先祖の中でも神の領域にまで昇華した、遠津御祖神につながることができるのです。

先祖供養をするといいことがある、というお話を誰しも聞いたことがあるかと思います。そうした先祖崇拝の対象として、いわば最高ランクに当たるものが遠津御祖神という存在なのです。

3 わたしと神をつなぐのは先祖だけ

通常はこの遠津御祖神とつながるだけで、様々な奇跡が起こります。

いわば普通では考えられない力を発揮するわけですが、それを自己の限界を遥かに超えた神の力と考えれば何の不思議もありません。


また、遠津御祖神とつながると、これまでにない安堵感が得られます。

現代の病のほとんどは、先行きが見えない不安な気持ちから生じています。

不安感が身体を支配するようになると、神経系統に支障が生じ、そこから様々な病気が生まれるのです。


ところが、一人や二人の先祖ではなく何億人もの先祖を統括し、その先頭にいる遠津御祖神が自分の中に働くと、あらゆる不安から解放されることがわかります。

そして、そこに感謝が生まれ、確信が深まれば深まるほど、さらなる力を遠津御祖神は与えてくれるというわけです。

世の中には一般人がなしえないような事業を軽々とこなす方がいますが、そうした人たちは、多かれ少なかれ、先祖神につながっていると見て間違いありません。とりわけ遠津御祖神という先祖の最高神とつながると、人知を超えたレベルの力を発揮するようになってきます。ですから、読者の皆さんには、まずはこの遠津御祖神につながることを目標に取り組んでいただきたいと考えています。

参考までに申し上げますと、この遠津御祖神の役割は子孫にそうした力をもたらすだけの存在かというと、それだけではありません。

実はその遠津御祖神を起点にして、地球の五行、そして国津神とつながることができるのです。

さらにはその先に天津神という存在も控えています。

5 先祖崇拝は宗教ではない

こうしたお話をすると、それは宗教ではないのか、と疑う方も出てきます。

けれども、はっきり申し上げたいことは、これはある種のシステム学習であり、DNAに基づいた科学であるということです。

少し前に現代人の宗教離れについて述べましたが、その理由は意外と簡単なところにありました。

つまり、「これまで信仰してきたものに効果や体感がなかった」ということです。

言い方を変えれば、単純に科学的ではなかったと表現することもできます。

世の中のほとんどの宗教は、わたしという存在から遠くかけ離れた神や教祖を最上のものとするため、そこに自分が直に神に関与できる余地はありません。

少なくとも自分を超えた何らかの力を発動させるためには、わたしと何かがつながっている必要があるのです。そうでなければ、ただの運任せになります。

あのマザー・テレサですら、最後は神を掴めなかったと悔やんで亡くなったそうです。信仰の力は誰よりもあったかもしれませんが、神につながることとは別物であることがわかります。

ですから、つながりのあるものからスタートするのは当然のことなのです。

その最たるものが、自らの先祖だということです。

したがって、先祖を崇拝するとは、自身のＤＮＡに敬意を持つことであり、外に存在する特定の神を信仰させる宗教とは、一線を画するものだといっていいでしょう。

宗教において神と人間は分離したままですが、先祖崇拝ではＤＮＡを通じ、人という存在が、先祖神につながることが可能となるのです。

よって、先祖崇拝とは信仰の一形態ではなく、むしろ遺伝子を科学する世界の延長上にあると考えることができるわけです。

現在の遺伝子工学の発展はすばらしく、今や核ＤＮＡ解析により、髪の毛一本あれば、その人がどんな顔をしているのか、姿形や体質まで明らかになるレベルまで進化しています。これは、私たち一人一人に遺伝子のツリーが存在し、かつて存在した先祖たちの姿形が、漏れなく私たちの身体に閉じ込められているということを意味します。

そんな自分の身体を、先祖からのいただきものとして大切にすることの、どこが宗教といえるでしょうか。

先祖崇拝とは結局このことをいっており、人間のありようとして、ごく当たり前の作法を表現しているに過ぎません。にもかかわらず、こうした大事なことが日本から失われ、すでに長い年月が経過していることは、この上なく残念なことといわねばなりません。

けれども逆転の可能性はまだまだ残されています。

もし私たちが今一度先祖の力を取り戻し、遠津御祖神とつながることができれば、その大いなる力が、これまでのあらゆる後悔を吹き払ってくれることでしょう。それどころか、これまで気づかなかった自分本来の使命に目覚め、神の力を得ることで、これからの人生がますます輝かしいものになるはずです。

4
この究極の言葉で神につながる

1　天皇が唱える唯一の言葉

さて、ここまで広く言葉の力と先祖につながることとの壮大なメリットについて語ってきました。

なぜこの二つを最初に取り上げたのかといいますと、いわば最強の組み合わせがこの二つから得られるからです。とすると、そこで生まれる言葉は、人類史上でも最高の言葉であり、その言葉を使う人間も限られることがわかります。

では、どんな人間がこれからご紹介する最強の言葉を使ってきたのかといいますと、それは天皇です。「ことだま」が日本から失われて久しい時間が経つことは、これまで説明した通りですが、今も天皇家に残る言葉があります。

それこそが、今回本書で皆さんに是非ともお伝えしたい究極の言葉なのです。

あまりにも究極であるため、今も古神道の一部で唱えられているものの、その真の意味は謎に包まれたまま、表の世界には伝わっていません。

その究極の言葉とは何でしょうか。

それは、「とほかみえみため」の八文字です。


天皇はこの言葉を唱えることであるお務めを果たします。

それは天皇が天皇であることの証ともいえるものです。

そのお務めとは、天皇の祖先である天照大神をお慰めすることです。

天皇は、日々この言葉を四十回唱えることで、天照大神に感謝と労いの気持ちを示すのです。そして自ら天照大神と一体化することで、常人の及ばない威光を放ち、また偉業を成し遂げます。

世界中を見渡しても、天皇レベルの存在は見当たりません。その万世一系を実現してきたのが、この「とほかみえみため」なのです。

2 神とつながる言葉がある

「とほかみえみため」は、遠津御祖神と一体になり、さらには日本の神々と一つになるための「ことだま」です。

言葉に私たちの想像もできない力があることは、第一章で触れた通りですが、それゆえ、場面に応じどのような言葉を使うのかがとても重要になってきます。

なぜなら言葉を間違えれば、それにより引き起こされる現象も変わるからです。

そのような意味において、この「とほかみえみため」は、まさに神にダイレクトにつながるための言葉といっても過言ではありません。


一方、この短い言葉には多重の意味が含まれます。

たとえば、和歌に使用される一つ一つの上代語のように。

では、「とほかみえみため」とは何を言っているのでしょうか。

そこにどんな意味があるのでしょうか。


最初に「とほかみ」から見ていきましょう。

この「とほかみ」には、一つ目の意味として「遠津御祖神」があります。そしてもう一つの意味が「とほ（とお）」の「かみ」で「十神」です。つまり、「とほかみ」には「遠津御祖神」と「十神」の二つの意味が含まれるわけです。

遠津御祖神についてはこれまでご説明した通りですが、「十神」には複数の意味があります。また、それにより言葉の力も増幅されることになります。

その「十神」ですが、まず一つは五十音図の上段にある「あかさたなはまやらわ」を古代の音図に並べ替えた「あ・たかまはらなやさ・わ」を意味します。

古代日本において、日本語の一音一音は神であり、言葉という神が現実を創造するとされました。

たとえば、「あ」は「高御産巣日神（たかみむすひのかみ）」を意味するように。

「十神」のもう一つの中身は、「別天津神（ことあまつかみ）五神」「伊邪那岐神（いざなぎのかみ）」「伊邪那美神（いざなみのかみ）」「三貴子（みはしらのうずみこ）」の十神をいいます。

このうち、「別天津神五神」とは、天之御中主神（あめのみなかぬしのかみ）、高御産巣日神（たかみむすひのかみ）、神産巣日神（かみむすひのかみ）、宇摩志阿斯訶備比古遅神（うましあしかびひこぢのかみ）、そして天之常立神（あめのとこたちのかみ）の五神のことをいいます。

「三貴子」は、皆さんよくご存知の天照大神（あまてらすおおみかみ）、素盞嗚神（すさのおのかみ）、月読神（つくよみのかみ）の三神を示します。

つまり、「とほかみ」という言葉には、遠津御祖神、言葉の十神、そして今ここで紹介した十の神が含まれることになります。

ですから、「とほかみ」と唱えるだけで、それらの神々を呼び寄せることができるというわけです。

この言葉の力がいかにすごいのか、従来の言葉と比較してみたいと思います。

たとえば「南無阿弥陀仏」の場合、「阿弥陀仏」に帰依するという意味になります。けれども「阿弥陀仏」は、言葉の神でいうと言霊「あ」に相当し、数でいうと一神しかありません。

ところが、この「とほかみ」はどうでしょう。

天之御中主神という神界の最高神をはじめとして、末はこれまた強力な遠津御祖神まで、すべてを含んでいるのです。

また「とほかみ」における、「と」「ほ」「か」「み」それぞれの音にも、「えみため」同様、「ことだま」の力が働いてます。

よって、この「とほかみ」という言葉がどれほど力強い言霊であるのか、以上の説明からご理解いただけることと思います。

さて、今度は「えみため」です。

この「えみため」には、「笑みため」の意味があります。「笑みため」をもう少しわかりやすく表現すると、「微笑んでください」となるでしょうか。

「とほかみえみため」と続けて読むことで、「遠津御祖神、十神のすべての神様、微笑んでください」という意味が浮かび上がります。

そして「微笑んでください」には、「感謝します」の意が裏に含まれます。

では、これらの意味を理解した上で「とほかみえみため」と唱えてみてください。

人によっては、自らが唱えたこの言葉で、まるで全ての空間が響き渡ったかのような経験をされるかもしれません。なぜなら、「遠津御祖神、十神のすべての神様」とは、いうなれば先祖から宇宙の根元神までのすべてを含む「全宇宙」を意味するからです。

ですから、「とほかみえみため」とは最終的に、全宇宙を完全に肯定する言葉となるのです。

いわば、人類にとって最強の言霊、それがこの八文字だということです。

それは神につながる言葉であり、同時に神の言葉でもあるのです。

3 この最強の言葉の唱え方

本来的に「とほかみえみため」の唱え方にルールはありません。

本の読み方にルールがないように、唱えるべきそれぞれの一音と順番さえ合っていれば、それで問題はないといえます。けれども、通常私たちがどのように唱えているのか、参考までに申し上げますと、このようになります。


つまり、正座をし姿勢を正した上で、「とーほーかーみーえーみーたーめー」と一音一音を伸ばしながら発声しています。

それを四十回繰り返すのが天皇の作法です。

この時に、自分の周囲に結界を張るように、一音一音の言葉を置いていくというやり方もありますが、まずはそれぞれの音をしっかり発音することから取り組まれるとよいでしょう。言葉は本来事象と一致するようにできていますので、いちいち意味を確認する必要はありません。

そもそも、言葉を出すという行為に意味も含まれていると考えます。

ですから、自らが一音一音の言葉に成り切って発声するのが好ましいのです。

ただ最初はそれだと不安かもしれません。

その場合ははじめに、この本で読んだこと、すなわち「遠津御祖神、十神のすべての神様、微笑んでください」が「とほかみえみため」になるのだと決めることです。

慣れてきますと、意味を考えなくとも、一音一音を順番通りに唱えていくうちに、自然と感謝の気持ちがあふれてきます。

それは、自分がこの宇宙に存在を許されているということへの感謝であり、宇宙が完璧に機能していることへの讃美を伴うものです。

4 神の言葉がもたらす効果

この宇宙は、自分の出した言葉が自分に返ってくるという仕組みになっています。

では、「とほかみえみため」をしっかり唱えるとどのようなことが起こるのでしょうか。

まず、この「とほかみえみため」を唱えると、自分を含めた五代のご先祖、計三十一柱が遠津御祖神になるための祓いが行われます。

大事なことは、自分だけ先に遠津御祖神と一体になることはできないということです。

なぜなら、このわたしは、他でもない先祖を通じて遠津御祖神になるのであり、直近の先祖が変わらない限りわたしも変わらないからです。

一方、直近の先祖に次々と遠津御祖神になっていただくことで、やがて自己自身も遠津御祖神と一体となる時がやってきます。

そのことが何を意味するのかについては、これまで述べてきた通りです。

つまり、その遠津御祖神を通じて私たちは、更なる次元の存在とつながることができるのです。それ自体、人間の可能性を無限大に広げるものではありますが、そこに至るまでの過程でも様々な効果を感じとることができます。

具体的な例を見てみましょう。

＊＊＊＊＊

・身体がスッキリした

・胃炎が静まった

・肌がきれいになったと言われる

・閃きが増えた

・部屋の空間が整う

・姿勢がよくなった
・人間関係が改善した
・囚われや不安が減った
・必要なタイミングで仕事のアイディアが降ってくるようになった
・意識の柱ができた気がする
・先祖とともに生きている感じがする
・死への恐怖が消えた

・生きることの虚無感がなくなった
・息子の自分に対する態度が変わった
・シンクロニシティーが増えた
・自分に必要なパートナーが現れた
・感情に流されなくなった…など

＊＊＊＊＊

これらの効果は、世の中の他の手法でも出てきそうなものですが、一番のポイントはただ「とほかみえみため」を唱えるだけでいいというところにあります。

いつでも、好きな時に唱えていただいて結構ですし、周囲の状況により心の中で唱えられても大丈夫です。

他にやることは何も必要ありません。

ただ唱えるだけです。

実際に「とほかみえみため」を唱え始めていただくと、今ご紹介した事例だけでなく、他にも様々な体験をされることでしょう。これまで仲の悪かった人や信頼関係のできない人物と、突然仲良くなることもあります。その時に何が起きているのかといいますと、互いの先祖同士喧嘩していたのが、「とほかみえみため」により先祖が供養され、結果的に和解してしまうということです。

同様に、普通ならありえないような形で目上の人に引き立てられたり、突然出世

4 この究極の言葉で神につながる

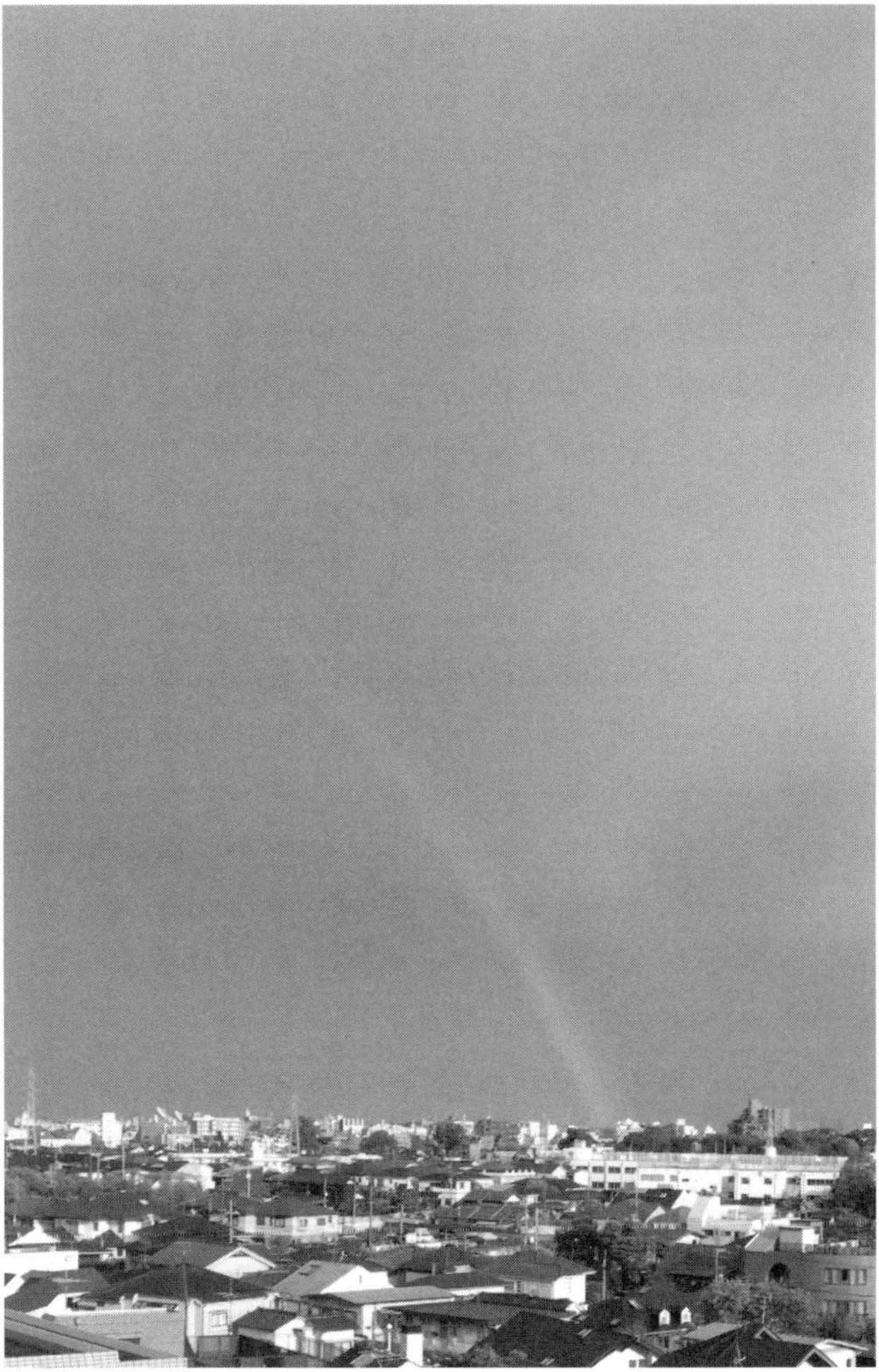

するというようなことも起きます。また、どんなに危険な状況にあっても、なぜか自分だけ助かるとか、無傷でいられるというようなこともあります。

最初はご先祖や遠津御祖神が自分を助けてくれるような錯覚を起こしますが、やがてそれは「そもそも自分はそうした存在と一体なのだ」という認識に変わることでしょう。


他にこんな使い方もあります。

これは私自身もたまに利用する方法ですが、たとえばあることがあって腹が立ってしょうがないということがあるとします。車を運転していたら別の車が割り込んできたとか、ある人に理不尽な応対をされた、とかいろいろあります。

そんな時にすかさず「とほかみえみため」を三回唱えるのです。

すると、それがどうでもよくなり、許せてしまうということがあります。

また、この「とほかみえみため」で結界を張ることもできます。

たとえば、自分の周りを、それぞれの一音一音で取り囲むと、そこに言葉の磁場が発生し、自分をあらゆる災いや霊的な攻撃から守ってくれるのです。さらに付け加えますと、「とほかみえみため」は、人間に備わる五つの魂を統合する言葉ともなっています。

五つの魂とは、荒魂（あらみたま）、和魂（にぎみたま）、幸魂（さきみたま）、奇魂（くしみたま）、精魂（くわしみたま）のことをいいます。

この五魂が統合されると、私たちは最高のパフォーマンスを発揮できるようになりますし、分離していると一部の力しか発揮されません。それどころか、精神の病を引き起こすことすらあります。

ところが、遠津御祖神につながると、自動的にこの五魂が統合されるのです。

とにかくこの「とほかみえみため」という、神につながる神の言葉には、ここで紹介しきれないぐらい様々なご利益があります。

当然といえば当然かもしれません。

先祖の最高神である遠津御祖神につながるのみならず、自らが遠津御祖神そのものとなって、この現実の世界を生きるのですから。

5 存在遺伝子が目覚める時

これまでの内容を遺伝子という視点から見ると、次のようなことがいえます。

それは「とほかみえみため」で先祖の神につながるとは、最終的にある遺伝子の発現をもたらすものだということです。

その遺伝子は、未だ明確に提唱されていないものですが、私たちはそれを「存在遺伝子」と呼んでいます。

つまり、人間を人間として存在させる根本の遺伝子といったらいいでしょうか。

この存在遺伝子があって、人間は人間らしい存在として、この世で生きていくことができます。

ところが、今の世の中で問題と考えられるのは、ほとんどの日本人が存在遺伝子を眠らせたままにあるということです。存在遺伝子が眠ったままであるとは、神につながることのないまま一生を終えてしまうことを意味します。

では、なぜ過去に何度も地球規模の災害に遭ったり、文明が崩壊したりしても、人類はここまで生き延びることができたのでしょうか。

それは、この存在遺伝子の継承があったからでした。

どんな災厄があっても、存在遺伝子の力で人類は生き残りました。

そして、それを次の世代にバトンタッチしてくれたのです。

その存在遺伝子の特徴はこんなところにあります。

「真面目、等身大、親切」ということ。

実はこの特徴こそ、いざという時に力を発揮するものなのです。

いわば、人類にとって必須のものであり、これなしに人々が協力し合うことはできません。その「真面目、等身大、親切」とは、たとえていえば神が最も好む人間の姿であり、神そのものの姿ともいえます。


日本人の根元には、元々それがありました。

それは人類にとって最も古い遺伝子であり、何ものにも支配されず、支配もしないという特徴を持ちます。日本が第二次大戦に敗戦しながらも、戦後あれだけの復興を遂げた背景には、この存在遺伝子の発動があったからに違いありません。

なぜなら、危機的な状況にあってこそ発現するのが、この神につながる根本の遺伝子だからです。

5

「とほかみえみため」が切り開く人類の未来

1 先祖供養は科学である

少し前のところで、先祖崇拝は宗教ではないとお話ししました。その理由はこれまでの説明で感覚的におわかりいただけたかと思います。

今度はさらに進んで、先祖供養は科学であると申し上げたいと思います。

なぜなら、科学とは客観性があり、再現性のあるものと規定されるからです。

「先祖供養をするといいことがある」というのは、多くの人が体験していることであり、第三者がそれを聞いても納得するものです。むしろ「先祖供養をしても何もいいことがない」という方が、非科学的ではないでしょうか。

これまでお伝えしてきたことは、その先祖供養のための最高の言葉が「とほかみえみため」ということでした。では、その言葉を結局どこに向けて発するのかというと、天ではなく、自分自身であり自分の細胞だということです。

こちらは復習になりますが、先祖は自らの細胞の奥にあるＤＮＡに住んでいるといいました。わたし自身が先祖の集合体なのですから、必然的にそうなります。

ところが一般の方は、なかなかそう思えません。

なぜなら誰もそんなことを考えませんし、聞いたこともないからです。

それを知らない人々が社会を作り、先祖をそっちのけにして「自分が、自分が」と言っているのですから、ある意味当然です。

けれども誰がどう見ても、わたしは先祖でできているとしか、言いようがありません。誰も反論できないはずです。

それをより端的に表現すると、わたしは先祖そのものである、といっても過言ではないでしょう。とすれば、これは一歩間違えると自己中心的な発想に聞こえるかもしれませんが、自分を大切にすることが先祖を大事にすることである、といってもいいのです。

よく、わたしなんか、という表現をする方がいますが、とんでもないことです。あるいは自分を二の次にすることが美徳だと思う方もおられるでしょう。もちろん、人間関係を円滑にするために、そうした譲り合いの精神は重要です。

けれども、心の奥底からわたしという存在を卑下していたらとんでもないことになります。なぜならそれは、一人や二人の先祖だけでなく、その背後に控えている無数の先祖を否定することになるからです。

ですから、このように考えてみてはいかがでしょうか。

自分を大事にすると先祖が喜び、先祖が喜ぶと自分が神になり、その力で人を幸せにできると。喜ばせた先祖の数が増えれば増えるほど、自分の味方が増え、それだけ自身の力も倍増します。

少し前に、「天皇の目的は、天皇の祖先である天照大神をお慰めすることにある」と申し上げました。これの意味するところは、自分から天照大神までの先祖がすべて自分の味方になる、ということにあります。

すなわち、数多くの先祖を喜ばせ、もしくは慰め、真心の言葉が上の階層に届けば届くほど、人は同時に多くの神の力を手に入れていくということです。

これは神秘でも信仰でも何でもありません。

ある意味、足し算と掛け算の算数です。

とすると、そこに見えるのは、むしろ科学に近いものではないでしょうか。

2 能力は先祖を通じて開発される

結論から申し上げますと、先祖とつながるのが一番の能力開発です。
普通はほとんどの方が、遺伝子のスイッチを使いこなせていません。

よく人間の能力は、本来の4%しか出せていないといいます。
96%は眠ったままであると。
では、どのようにしたら残りの96%を使うことができるのでしょうか。
それが先祖につながるということです。

自分を大事にし、先祖を大事にすることで、私たちは自己の内なる戦いをやめ、その静けさの中に真の平和を感じ、神の存在を感じることができます。その時に自らの脳波は、地球の周波数と同調した波形を描き、失われていた原始的な能力が開花し始めます。

つまり、自らの遺伝子のスイッチをコントロールできるようになるのです。

そのような状態において「こうなりたい」と思えば、遺伝子のスイッチが自然に切り替わり、実現に最適な状況を引き寄せます。このように、一番のポイントは先祖にあるにもかかわらず、現代人はとかく自分の力で成功を成し遂げようとします。自分一人が努力をすれば何とかなると考えるのです。

ところが、何度もお話ししましたように、わたしとは単純に先祖の集まりです。ですから、自分だけでどうこうしようとしても、先祖の力を借りなければどうしようもないということです。先祖の応援を得ることができれば、同じ先祖につながる他人の援助ももらうことができますし、自身の能力も魅力もそれにより引き出されることになります。

もっというと、それは借りるという面倒なものでなく、自分の中に存在する最高位の先祖に意識を合わせれば、自身も先祖同様の力を体現できるということです。つまり、意識を合わせるのに努力は不要であり、ただ力を抜いて先祖につながれば、それだけで能力が大幅にアップするということになります。

そのような意味において、「とほかみえみため」は、まさに能力開発のための一番の「ことだま」といえるでしょう。

5「とほかみえみため」が切り開く人類の未来

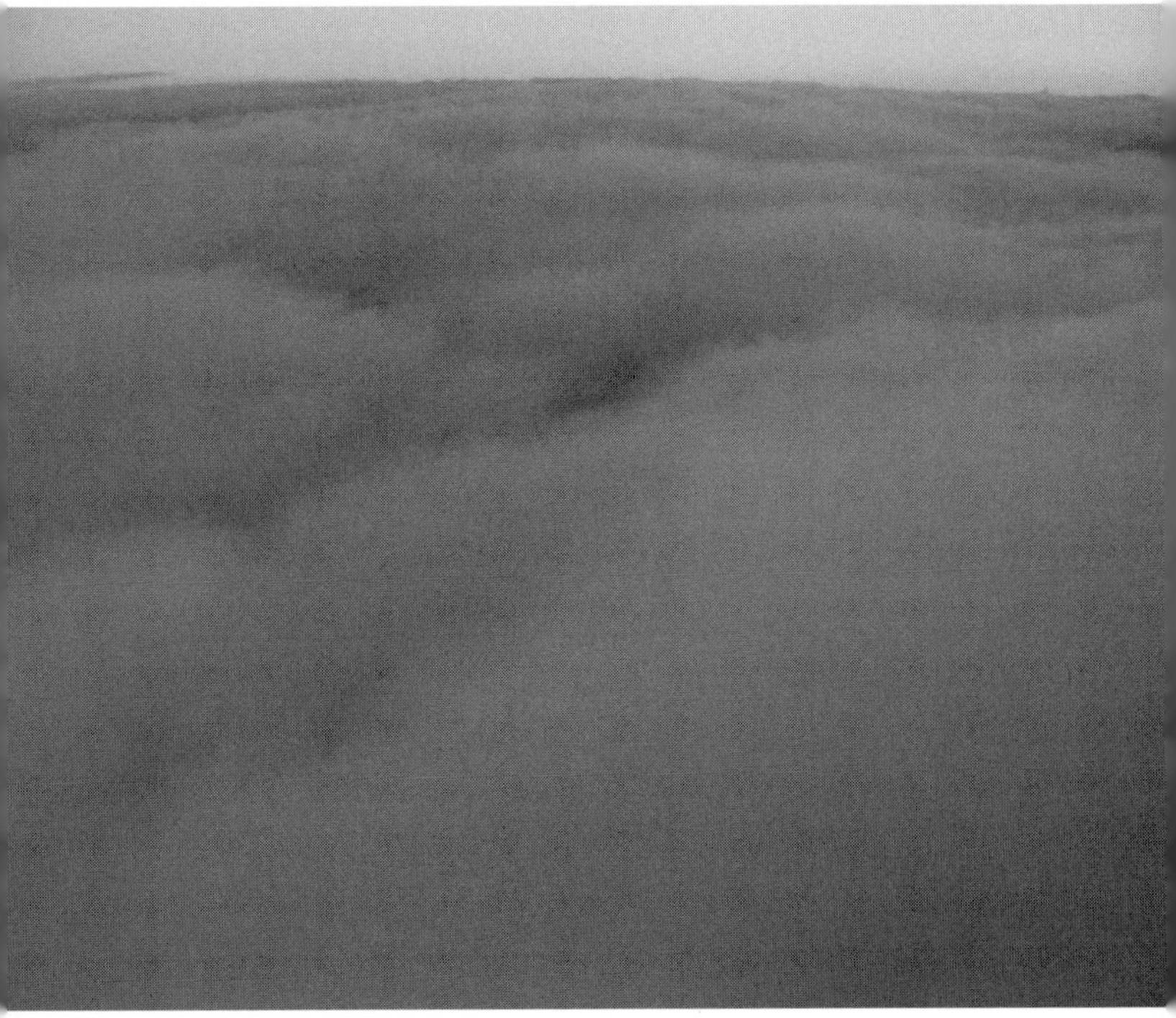

3 すべてはわたしのあり方で決まる

物事には「やり方」と「あり方」があります。

たとえば、書店でよく売られている本を例に出しますと、「あり方」を伝えるものは少なく、ほとんどが「やり方」を教える本ばかりです。

また、世の中の講座やセミナーも多くが「やり方」を教えるものです。

それ自体否定するものではありませんが、仮に「やり方」が正しくても、「誰」がやるかで、効果も結果も異なるのではないでしょうか。

つまり、「あり方」がどうかという問題です。

同じ人間であっても、緊張している時とリラックスしている時では、当然のことながらパフォーマンスも異なります。「あり方」がしっかりしていれば、「やり方」で成果を出すことができますが、そうでなければ期待した成果も得られないでしょう。

これは野球でもゴルフでも、何でも同じことです。

「やり方」が完璧でも、「あり方」の部分でイライラしていたらロクな結果になりません。このことは、すべてに通ずる法則であるがゆえ、人間関係を改善したい場合や、仕事で成果を出したい場合に関しても同様のことがいえます。

そこで、さらに別の見方をしますと、「あり方」が確立されれば、「やり方」は自然に決まってくる、ということがわかってきます。

また、「やり方」とは俗にいう「手口」でもありますので、それが決まってしまうと、戦いなどの場面では先を読まれてしまうこともあります。

ですから、本来人間にとって真っ先に大事なのは「あり方」であり、「やり方」は二の次であるということを、しっかり理解する必要があるのです。


では、その「あり方」は、どのようにしたら理想の状態になるのでしょうか。

実はここで出てくるテーマが、わたしという人間の存在論なのです。「あり方」とは、言い換えれば「わたしとは誰か」を示すものでもあります。そのことについては、第二章でしっかりと触れています。

つまり、「わたしとは先祖の集合体である」ということです。


「あり方」をしっかり確立するには先祖との連携プレーが必要です。その時にどのレベルまでの先祖とつながるのかにより「あり方」も変わります。

どうせつながるのであれば、先祖の最高神である遠津御祖神までいきたいものです。

それができれば、さらにその先の神々ともつながることができます。

一方で、もし皆さんが本当に遠津御祖神につながることができれば、「やり方」はさほど気にしなくてもいいかもしれません。

なぜなら、すべて神が教えてくれるからです。

4 未来のサバイバルのために

先行きが不透明なこの時代、どれを取っても不安なことばかりです。

自分の仕事はこの先どうなるのか、日本の経済はどうなるのか。
自然災害はこれからどうなるのか、自分の家族は安全なのか。
世界情勢はどう変わるのか、世界恐慌や戦争は起きないのか……など。

まだ起きていないことでも、一度思考をそちらに向けますと、不安ばかりが頭をよぎります。そして、不安に包まれてしまうと、そこから脱出するのがなかなか難しくなります。

こうした不安はどこから起こるのかというと、先ほどお話しした「あり方」の不安定さからです。たまに、自分の選んだ「やり方」が正しいかどうか不安だという方もおられます。が、「あり方」ができていれば、「やり方」が合っているかどうかも「あり方」が判断してくれます。

つまり、不安とは「あり方」が不安定だということであり、「あり方」ができていれば不安もなくなるということです。

この部分を基本として、しっかり押さえていただきたいと思います。

その「あり方」ですが、ただの先祖ではなく遠津御祖神につながると、安定感はさらに増すことになります。なぜなら、その遠津御祖神は、地球の五行の神や国津神にも通じており、実際に災害が起きても、その人をそうした事態から守ってくれるからです。

実際に以前起きた九州や千葉の台風で、近所の家は川に流されたり、屋根が吹き飛んだりしたのに、自分の家だけ何ともなかったという方がおられます。テレビでもブルーシートに覆われた家屋が多く出ていましたが、たまにポツリと何もない家がありました。そうした家の方々は、毎日「とほかみえみため」を唱えていたそうです。

また、資金繰りに困っていた会社の社長さんが「とほかみえみため」を唱えることで、倒産の危機から救われたケースもあります。こうしたケースは数多く存在し、もちろんどれが一番ということはいえません。ただ、こうした現象が先祖とつながることで起こることは間違いないように思います。

しかし、ここで考えなくてはならない問題があります。

それは、これまでの災害の規模であれば何とか持ちこたえることができたとしても、私たちの想像を超えるような災いが襲ってきたらどうしたらいいのか、という問題です。

地球の歴史を見てみますと、古くは世界中の神話や聖書にも記述がありますように、大洪水で文明の栄えていた大陸が沈んだことがわかります。また、他の歴史的資料には、ポールシフトで大地震や大津波が起きたとか、彗星が地球に激突してほとんど全ての生き物が滅んだことなども書かれています。

実際、山梨県の乙女鉱山から取れる水晶の、右回り左回りの模様から、少なくともこれまで地球に、十四度ものポールシフトがあった可能性が示唆されています。最近の調査では、北極点が加速的にズレ始め、磁北が年間に五十五キロも移動することから、ポールシフトが近づいているのではないか、という研究者の声もあります。

また、私たちの存命期間中に、巨大隕石が地球に衝突すると警告するＮＡＳＡの幹部もいます。おそらく人類がパニックになるのを避けるため、公表されているのは全体の一部でしょう。一方、人類がもし第三次世界大戦に突入し、聖書のいうハルマゲドンが勃発すれば、現代文明が終焉することはほぼ間違いありません。

このように、これから私たちの想像の及ばないカタストロフィが未来に待ち受けていると知った時、今の私たちにできることは何でしょうか。

そのような中でも私たちは安心して暮らすことができるのでしょうか。

そのカギを握るのが、「とほかみえみため」です。

覚えておられるでしょうか。

「とほかみえみため」とは、遠津御祖神とつながり、さらにその上の神々とつながるための言葉であると申し上げました。

では、神々の中でも一番上に位置する神とはどのような存在なのでしょうか。

それこそ、宇宙の創造主ともいえる存在です。

天皇がこの言葉を唱える意味は、最終的に宇宙の創造主と一体化し、宇宙の安泰と人類の存続を祈ることにあることをご存知でしょうか。

天皇家に残された唯一の秘術といわれる由縁がここにあります。

ただの気休めの言葉であったり、効果のない言葉であれば、この時代まで継承されることはなかったでしょう。

ところがこの言葉には、先ほどご紹介した事例のように、一般の人々が唱えても十分災害を避けるだけの力があるのです。前章に出てきた五魂が統合されるだけでもそれだけの力をもたらします。

もし一定数の人間が集まり、これを同時に唱えたとしたらどのようなことが起こるでしょうか。

先ほどの質問の答えがここにあります。

地球がどんな環境にあってもサバイバルするための言葉、それが「とほかみえみため」なのです。繰り返し申し上げますように、この言葉は宗教ではありません。最先端の科学だけが証明できる人類最古の叡智です。

5 とほかみネットワークが人類を救う

この日本という国は、これまで和歌にも読まれてきたように、四季のはっきりした国でした。ところが近年は、夏が終わればすぐ冬が来るという二季に変化しつつあり、これまで災害のなかった地域も台風被害に見舞われるようになっています。

そうした環境の異変のなかで、意識の目覚めを起こそうとする日本人が増えています。

このことは偶然とは感じられず、現代の日本、そして世界が抱えている文明の闇を、私たちは意識のどこかで察知しているのかもしれません。そこにあるのは、どんなにモノが豊かになっても何かが満たされないという現代社会の矛盾であり、何かが本来的ではないことへの疑念ではないでしょうか。

これは意外に聞こえるかもしれませんが、日本人は諸外国の人々に比べて、人に支配されることをよしとしていません。それでいて、日本が他国に支配されているように見えるのは、そこにある種のしたたかさがあるからかもしれません。

「長いものに巻かれろ」という表現がありますが、裏を返せば、支配を受けないための方便という見方もできます。つまり、面従腹背でその場をしのぐための技術、といえましょうか。

一説に日本人の遺伝子は世界でもっとも古いというものがあります。

それが本当だとすれば、古代の日本人は支配や被支配という関係ができる前に、すでに存在していたことになります。ですから、日本人が支配されることを好まないのは当然であり、支配することにも消極的だと考えられるわけです。

人間は危機的な状況に遭遇すると遺伝子のスイッチが勝手に入るといいます。ひょっとして今という時代は、そうしたスイッチが入りやすい時期なのかもしれません。先ほど目覚めようとする日本人が増えてきたといいましたが、それは、これから最も古い日本人の遺伝子が発現してくることの兆候ではないでしょうか。

その遺伝子が原始的であればあるほど、それが発現した暁には、とかく頭で考える現代人の限界を超えた力を発揮するはずです。

そのことと「とほかみえみため」は、当然無関係ではありません。この言葉を唱えれば唱えるほど、人類の起源につながる遺伝子、すなわち存在遺伝子を呼び覚まします。

さらには、存在遺伝子を通じ、今度は同じ言葉が次元を超え、神の領域にアクセスするようになります。

では、そうした人々が人数的にある臨界点を超えたらどうなるでしょうか。

それを実現するためのネットワークが存在したらどうでしょうか。

実はそのネットワークこそ、これからの時代に求められるものであり、人類の危機を乗り越えるために必要なものなのです。

それもアナログではなく、デジタルのネットワークです。

つまり、ウェブの世界に見られるように、同時に大勢の人間がネットから特定の情報を発信すると、ネットに無関係の人々にまで影響を与えることができるのです。

この「とほかみえみため」は普通に唱えても当然効果のあるものですが、デジタル機器からその言葉を発信すると、アナログを遥かに凌ぐ効果が得られることがわ

5「とほかみえみため」が切り開く人類の未来

かっています。すでにある段階までの実験は終わっており、そのための「吹き送りサーバ」もすでに沖縄に設置しています。

ちなみに「吹き送りサーバ」とは、ネット回線に乗った悪しき言葉や鬱滞エネルギーを、神道の祓いの原理を使って別次元に転送するためのものです。

紙面の関係上、具体的な仕組みについては割愛しますが、このシステムによりアナログであれデジタルであれ、皆さんが「とほかみえみため」と唱えれば、先祖の存念が安全に祓われるようになるのです。

要は、誰もが遠津御祖神につながりやすくなるというわけです。

こうして不要なエネルギーをゼロ化し、人類に必要な言葉をウェブに乗せて発信することで、「とほかみえみため」の効果を何倍にも増幅することができるのです。

そしてこの仕組みは、ネットワークの参加者が増えれば増えるほどエネルギーが際限なく高まり、やがてそれはネット回線を超えた別次元の世界において、遠津御祖神のネットワークを構築するようになります。

そのネットワークに、私たちは「エクレル」という名前をつけました。「エクレル」とは、古代教会の元の名称であるギリシア語の「エクレシア」、そして稲妻の意味を持つフランス語の「エクレール」から来ています。

この「とほかみネットワーク・エクレル」が人類にもたらす恩恵は、いずれ計り知れないものになることでしょう。

おわりに

ここまでおつきあいいただき、ありがとうございます。
今回本書を通じて皆さんにお伝えしたかったことは、次の三つに集約されます。

・「ことだま」の力
・ご先祖とつながることの重要性
・デジタルネットワークの必要性

このうち最後の「デジタルネットワークの必要性」については、終わりの部分で触れただけですが、概要はおわかりいただけたかと思います。

つまり、アナログで驚くべき効果を発揮するものを、デジタルに応用したらどういうことになるか、ということです。

一般的には、人間が直に唱える言葉の方が力あると考えられていますが、効力の面から見ると、デジタルで合成されたボーカロイドの声の方が上なのです。

なぜなら、「ことだま」とは、純粋な言葉のエネルギーであり、そこに人間の判断でいかなるエネルギーも加えてはいけないからです。

情念を込めた言葉は、時として人の心を動かしますが、そこで働くのはいわゆる感情レベルの言葉の力であり、神につながる「ことだま」の力ではないのです。

ですから、アナログで「とほかみえみため」と唱える際も、清らかな気持ちで一音一音を丁寧に発する方が、あの世の先祖にも届きやすいといえるのです。あるいは、先ほど申し上げましたように、デジタルの力を借りて効率的に発信する方法もあります。

ただ、誤解していただきたくないのは、アナログあってのデジタルであり、デジタルだけですべてが解決できるわけではないということです。少なくとも、言葉や先祖の重要性も、アナログ的な理解があって初めてデジタルへの応用が可能であることは、順を追って読めばわかる話です。

一方、今この時代に求められるものがスピードであることは、皆さんご存知の通りです。のんびり唱えて何年か後に神につながるという方法もありますが、せっかくであれば、最短時間で遠津御祖神につながり、以降の人生を有意義に過ごす方が得策ではないでしょうか。

そんな皆さんに朗報があります。

本書の出版を機に、これまでお話ししてきたデジタルのネットワークシステムを誰でも利用できるよう一般社会に開放したいと考えています。

これまでは実験的な見地から、クローズドの世界で利用していたものですが、十分に効果が確認できたため、そのためのプラットフォームをご用意する予定です。

このシステムに参画するメリットは、「とほかみえみため」に関してのタイムリーな情報を得られるだけでなく、デジタルの発信システムを利用できることや、デジタルの装置でバックアップを受けられることにあります。

その詳しい情報については、巻末のアドレスをご参照下さい。

この道に入ってわかることは、人間は皆同じであるということです。自らの遺伝子に眠る先祖の姿を遡っていくと、人類はすべて同じものから発生していることがわかります。

つまり、私たちがそこで見るものは、生命の起源であり、宇宙の起源ともいえる神の姿です。

そこには支配する者も、される者も存在しません。

これから一人でも多くの皆さんと共に、真の自分に気づき、真の社会を生み出すための活動ができれば、これ以上の喜びはありません。

なぜなら、人類の運命はそこにかかっているからです。

「とほかみえみため」を唱える者の心構え十ヶ条

一　気を長くすること

一　悪口を云わぬこと

一　心を丸くすること

一　迷惑をかけぬこと

一　腹を立てぬこと

一　人を大きくすること

一　我を小さくすること

一　愚痴を忘れること

一　真の道を求め病苦を忘れること

一　ともども笑って暮らすこと

*『とほかみえみため』特設情報サイト
https://tohokami.jp/emitame/

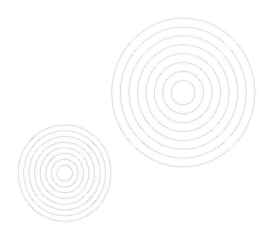

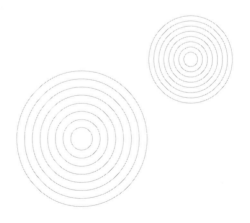

大野靖志（おおの・やすし）

ユダヤ教をはじめ世界各国の宗教と民間伝承を研究後、白川神道、言霊布斗麻邇の行を通じ、新たな世界観に目覚める。現在は、多彩な執筆活動と並行して、一般社団法人白川学館 理事を務め、日本と米国に意識変容のためのデジタル技術を普及すべく、東京と山梨を拠点に、様々なプロジェクトに力を入れている。著書に『言霊はこうして実現する』（文芸社）、『和の成功法則』『願いをかなえるお清めCDブック』（サンマーク出版）などがある。

とほかみえみため

～神につながる究極のことだま～

2020年 3 月10日 初版発行
2024年 9 月22日 初版第9刷発行

著　者　大野靖志
発行者　佐藤大成
発行所　和器出版株式会社
住　所　〒107-0062 東京都港区南青山1-12-3
LIFORK N214
電　話　03-5213-4766
ホームページ　https://wakishp.com/
メール　info@wakishp.com

デザイン　松沢浩治（ダグハウス）
写　真　GM studio
印刷・製本　モリモト印刷株式会社

◎落丁、乱丁本は、送料小社負担にてお取り替えいたします。

ISBN コード 978-4-908830-16-7
※定価は裏表紙に表示してあります。